Y Wariar Bach

Leisa Mererid

Cara Davies

Argraffiad cyntaf: 2021

Rhif llyfr rhyngwladol: 978 1 80099 054 8

Dymuna'r cyhoeddwyr gydnabod cymorth ariannol Cyngor Llyfrau Cymru

Cyhoeddwyd ac argraffwyd yng Nghymru
ar bapur o goedwigoedd cynaliadwy gan
Y Lolfa Cyf., Talybont, Ceredigion, SY24 5HE
e-bost: ylolfa@ylolfa.com
gwefan: www.ylolfa.com
ffôn: 01970 832 304
ffacs: 01970 832 782

I MAM,

ti oedd hawl ein teulu

xxx

"Bore da, draed," meddai Miri cyn llithro o'i gwely.

Roedd diwrnod newydd ar fin deffro. Diwrnod oedd heb ei gyffwrdd.

"Bore da, awyr."

"Bore da, daear."

Yna, camodd yn ofalus ar ei mat i gyfarch y byd.

"Un droed, dwy droed ar y llawr,
Sefyll rwyf fel mynydd mawr.
Camu 'mlaen yn ddewr wnaf i,
Dwy fraich ar led... ac i ffwrdd â ni!"

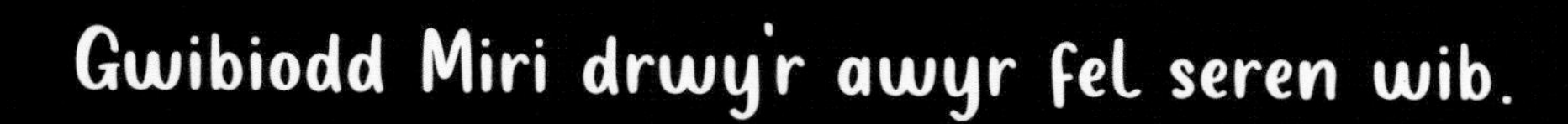

Gwibiodd Miri drwy'r awyr fel seren wib.

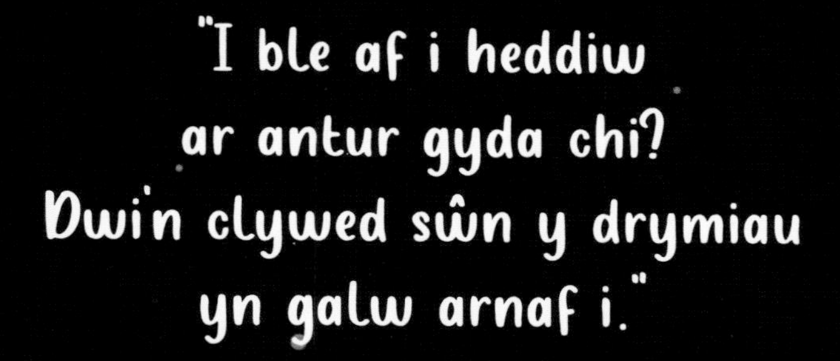

"I ble af i heddiw
ar antur gyda chi?
Dwi'n clywed sŵn y drymiau
yn galw arnaf i."

"Un llaw, dwy law ar fy mol,
Anadlu'n ddwfn am dri.

Rhoi fy sbectol ioga 'mlaen
Pa wyrth a welaf i?"

Agorodd Miri ei llygaid.

O'i blaen gwawriodd yr haul mwyaf a welodd erioed.

Tywynnodd ei belydrau o'i chwmpas gan wneud iddi deimlo'n gynnes braf.

"Beth yw dy bwrpas di?" holodd yr haul.

Syllodd Miri arno'n syn.

"Paid â phoeni," meddai'r haul dan wenu. "Os ei di ar goll, dilyna fi.
Ac os wyt ti'n methu fy ngweld i, paid digalonni.
Cofia fy mod i yma o hyd."

Plygodd Miri ei phen i ddiolch, cyn mentro ar ei thaith.

Dilynodd Miri sŵn hudolus y drymiau. Camodd yn ofalus i grombil y goedwig law. O'i blaen gwelodd rai o lwyth y Baku yn syllu arni.

Plygodd Miri ei phen i'w cyfarch.

"Miri ydw i. Dwi yma ar antur. Beth yw eich pwrpas chi?"

"Gwarchod a gofalu am y ddaear – ein cartref ni. Troedia'n ofalus arni a mwynha ei chyfoeth. Croeso i'r Congo."

Ymlaen â Miri, gan ddilyn sŵn y drymiau, a daeth wyneb yn wyneb â rheinoseros mawr llwyd.

"Beth yw dy bwrpas di?" gofynnodd Miri.

"Dwi yma i fod yn gryf – i ddal fy nhir ac i fod yn gadarn dros eraill."

Jiráff hir, tal ddaeth i'r golwg nesaf rhwng y dail.

"Beth yw dy bwrpas di?"

"Ymestyn tuag at y sêr a dilyn fy mreuddwydion."

Roedd sŵn y drymiau yn nesáu.

Gorila'r mynydd oedd yno yn taro ei frest flewog.

"Beth yw dy bwrpas di?"

"Dwi yma i agor fy nghalon ac i garu pawb, heb anghofio amdanaf i fy hun."

Nesa, daeth Miri at bwll dŵr. Yno safai eliffant anferth.

"Beth yw dy bwrpas di, eliffant?"

"Rhoi un droed o flaen y llall – un cam ar y tro, dim ots pa mor araf."

Gwenodd ar Miri gyda'i lygaid caredig cyn tasgu cawod o ddŵr oer drosti.

Roedd y fflamingos hirgoes yn mwynhau'r dŵr oer hefyd!

"Beth yw eich pwrpas chi?"

"Dal ati a pheidio byth rhoi'r gorau iddi!"

Clywodd Miri sŵn clebran mwncïod, mandrilod a tsimpansïaid wrth iddyn nhw lamu o gangen i gangen, ond roedden nhw'n rhy brysur i aros a sgwrsio!

Anifail go wahanol oedd yn disgwyl am Miri nesaf – y bongo!

"Beth yw dy bwrpas di?"

"Dwi yma i ddathlu fy mod i'n wahanol ac i gredu yndda i fy hun."

Torheulo yn yr haul tanbaid roedd llew mawreddog.

"Beth yw dy bwrpas di?"

"Dwi'n ddewr – yn ddigon dewr i ofyn am help pan dwi ei angen."

Cafodd Miri wers ar sut i ruo'n ffyrnig!

Rhewodd Miri mewn braw pan welodd pwy oedd yn syllu arni nesaf – y mamba ddu, lithrig.

"Beth yw dy bwrpas di?" meddai Miri dan grynu gan ofn.

"Bod yn graff a gweld pob rhwystr fel cyfle am antur newydd."

Yn syllu arni'n syn roedd ocapi direidus.

"Beth yw dy bwrpas di?"

"Bod yn chwareus.

Dwi'n troi'r byd ben i waered ac yn gweld posibiliadau newydd."

Roedd Miri wedi blino'n lân erbyn hyn.
O'i blaen gwelodd greadur bach rhyfedd iawn yr olwg yn gwenu arni.
Y pangolin.

"Beth yw dy bwrpas di?"

"Bod yn fi fy hun. Peidio poeni am ddoe, nac am fory.
Rŵan sy'n bwysig. Yma. Fan hyn."

Cyrliodd Miri yn belen fach glyd. Gallai deimlo'r ddaear yn gynnes dan ei chorff. Tynnodd anadl ddwfn a chymryd saib.

Roedd yr haul yn barod i fynd i'w wely.

"Beth yw dy bwrpas di?" holodd Miri.

"Dwi yma i wenu ar bawb a phopeth, heb ddisgwyl dim yn ôl."

Gwyliodd Miri y belen fawr yn diflannu dros y gorwel.

Wrth i Miri orffwys ar y ddaear teimlodd wên yn dechrau tyfu.

Gwên gynnes oedd yn tyfu y tu mewn iddi.

Ei haul bach hi ei hun. Ei haul bach y tu mewn iddi.

Cododd Miri ar ei thraed i gyfarch yr awyr a'r ddaear cyn camu ar ei mat...

... i gyfarch y byd.

Rhyw dro, os cei dy holi
beth yw dy bwrpas di,
cofia fod 'na le i bawb
o fewn ein byd bach ni.

Ymarfer siapiau ioga gyda Miri

Dwi'n gwarchod y ddaear,
fel y Baku.

Duwies

Dwi'n gryf fel y rheino.

Wariar I

Dwi'n ymestyn tuag at y sêr,
fel y jiráff.

Llevad Lawen

Dwi'n agor fy nghalon,
fel y gorila.

Haul Hapus

Dwi'n cymryd un cam ar y tro,
fel yr eliffant.

Rhaeadr Ryfeddol

Dwi'n dal ati, fel y fflamingo.

Coeden

Dwi'n dathlu pwy ydw i,
fel y bongo.

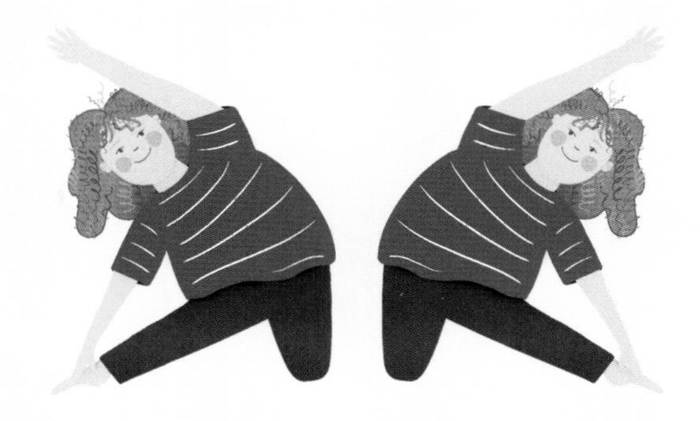

Giât

Dwi'n ddewr fel y llew.

Cath

Dwi'n graff fel y mamba.

Cobra

Dwi'n chwareus fel yr ocapi.

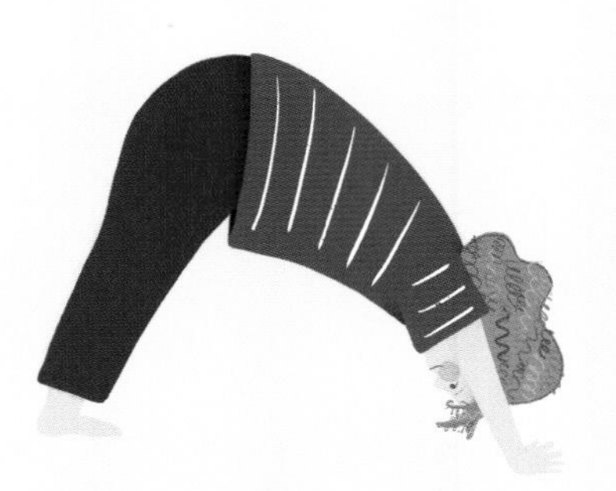

Ci

Dwi yma, rŵan, fan hyn,
fel y pangolin.

Plentyn

Dwi'n gwenu ar bawb,
fel yr haul.

Gorffwys

Namaste

- Gair o'r iaith Sanskrit sy'n golygu 'dwi'n plygu fy mhen i dy gyfarch di'.
- Dyna sut mae Iogis yn dweud helô, hwyl fawr a diolch.
- Beth am i ti roi dy ddwy law at ei gilydd o flaen dy galon a phlygu dy ben i ddweud, "Namaste"?

Mudra Gyan

- Ystyr 'mudra' ydi siâp neu ystum dwylo.
- I wneud siâp Gyan, cyffwrdd blaen dy fawd gyda blaen dy fys cyntaf i wneud siâp sbectol.
- Yna, croesa dy goesau a rho dy ddwylo ar dy bengliniau.
- Mae'r ystum yma'n help i ganolbwyntio, i gael meddwl clir ac i ddysgu pethau newydd.

Ymarferion anadlu

Anadl y bol

- Rho dy ddwylo ar dy fol. Anadla i mewn ac allan trwy dy drwyn gan deimlo dy fol yn chwyddo fel balŵn wrth i ti anadlu i mewn ac yna'n suddo'n ôl i lawr wrth anadlu allan.
- Mae tynnu anadl fawr yn help i'n cadw'n iach ac i ymlacio. Mi fedri di ymarfer anadl y bol yn unrhyw le – wrth sefyll, eistedd neu orwedd.
- Os wyt ti'n gorwedd, beth am roi dy hoff degan meddal ar dy fol a'i deimlo'n codi a gostwng wrth i ti anadlu?

Anadl yr eliffant

- Rhaid sefyll yn gryf gyda dy goesau ar led.
- Rho un llaw ar ben y llall i greu trwnc hir a dychmyga dy fod yn eliffant yn siglo dy drwnc rhwng dy goesau.
- Anadla i mewn trwy dy drwyn gan godi dy drwnc yn uchel i'r awyr ac wrth anadlu allan, gostwng dy drwnc yn ôl i'r llawr, a chwistrellu pawb â dŵr!
- Mae anadl yr eliffant yn help i ryddhau tensiwn ac mae'n wych i ddeffro'r corff a'r meddwl.

Anadl y llew

- Dychmyga dy fod yn llew cryf a dewr yn barod i rúo.
- Penlinia ar y llawr gan eistedd yn ôl ar dy sodlau.
- Anadla i mewn trwy dy drwyn ac wrth anadlu allan pwysa ymlaen gan roi dy bawennau ar y llawr o dy flaen a gwthia dy dafod allan a rhuo'r sŵn 'HA'.
- Mae'r dull anadlu yma yn gallu dy helpu i deimlo'n gryf a dewr ac mae'n wych i ryddhau rhwystredigaethau.

Anadl y neidr

- Gorwedd ar dy fol a chodi rhan ucha'r corff mewn ystum cobra.
- Anadla i mewn trwy dy drwyn ac allan yn araf drwy dy geg gan wneud sŵn 'ssssssssss'.
- Gwna'n siŵr fod dy anadl i gyd wedi dod allan a bod dy ysgwyddau wedi ymlacio, cyn anadlu i mewn eto.
- Mae'r dull anadlu yma yn gallu dy helpu i ymlacio, i gael meddwl clir ac i fod yn graff fel y neidr!

www.ylolfa.com